MW00583286

Al lector

Gracias por adquirir este libro, la vida se compone de dos sucesos únicos, Éxito o Fracaso.

En estas páginas está escondido el secreto para lograr convertir el fracaso y la adversidad en el éxito tan esperado. Una lectura que tocará su alma.

Le hará descubrir el poder que existe dentro de usted, para alcanzar a hacer realidad sus sueños.

Omar Hejeile Ch.

AUTOR
Omar Hejeile Ch.

Editorial Wicca, rescata el poder inconmensurable del ser humano y la naturaleza; un poder que todos poseen, sienten, perciben, pero pocos conocen, a través de los textos, programas de radio, se invita sin imponer una verdad o un concepto, para que cada uno que siente el llamado desde su interior, quien descubre la magia de los sueños, y desea obtener el conocimiento, por ende, la transformación de su vida alcance el centro de la **felicidad.**

La vieja religión ha renacido...
y está en sus manos.

WICCA
ESCUELA DE MAGIA

La vieja religión basada en el conocimiento mágico, de viejas culturas perdidas en el tiempo, escapadas del mundo de los hiperbóreos renacen como el fénix la armonía del hombre con la naturaleza.

Wicca, vocablo que procede de Wise, Wizard, significa "El oficio de los sabios" "Los artesanos de la sabiduría" Durante milenios de persecución, los documentos antiguos de la vieja religión permanecieron ocultos esperando el momento propicio del renacer, ahora, Wicca, recupera algunos de los viejos conocimientos del influjo lunar, el sol, los grandes Sabbats, el poder secreto de los encantamientos y embrujos, el arte de los sortilegios, el infinito mundo mágico de las plantas, el secreto de las estrellas.

Autor: Omar Hejeile Ch.

Título: Cómo Evitar el Fracaso y Tener Éxito en 21 Días

ISBN: 978-958-8391-74-8

Sello Editorial: *WICCA S.A.S (978-958-8391)*

ENCICLOPEDIA: *"Universo de la Magia"*

Diseño y Diagramación: Mario Sánchez C.

www.ofiuco.com

COMO EVITAR EL FRACASO Y TENER ÉXITO EN 21 DÍAS

21 DÍAS, ÉXITO O FRACASO

Durante el invierno, cuando las noches son largas y espesas, el templo se cubre del gran poder.

En el ocaso, se escucha el repicar del eslabón en el gigantesco pórtico.

Cubierto con el manto, escondido dentro de la capucha, un joven esperaba.

La nieve decoraba la entrada cayendo en copos juguetones.

Toc... toc... toc... Un tiempo de silencio, luego, el rechinar de las grandes puertas al abrirse; parecía un lamento.

- *Buenas noches, buen hombre, qué te trae al templo.*

- *Buenas noches,* «suspiró» *he venido de lejos, buscando un poco de paz, algo de sabiduría ante mi pena y dolor, ¿Darías posada a este peregrino?*

- *Parece que perdiste el rumbo, sigue, quizá encuentres las respuestas que agitan tu alma alterando tus sentidos.*

Deambularon por el largo corredor, las antorchas titilando, daban un toque espectral, la sombra de los murciélagos revoloteando, se convertían en figuras fantasmales. Al final de pasillo, en una pequeña alcoba, tan solo una esterilla, era toda la decoración, una manta gruesa para el frío, algo de agua y un trozo de pan.

- *Por ahora, aquí pasarás la noche, es abrigado, descansa y mañana con el maestro, quizá encuentres lo que viniste a buscar.*

Cuando el alma está acongojada la realidad se transforma, cambiando el sentido de los pensamientos, se sumerge la mente en mundos fantasiosos de dolor, desesperanza, abandono, la negación se hace presente nublando la razón.

La noche, fue recorriendo las horas, a lo lejos, el eco rítmico de los monjes caminando o quizá el paso de los espectros que no descansan.

El nuevo día despertó, gris, nublado y lluvioso.

Kadaisha; enfundado en su túnica, caminaba lento, pareciera que flotaba, su gran tamaño, sus extraños pies y manos, así como su único ojo, producía más que temor, terror.

Nadie sabe cómo o cuando se hizo el templo, tampoco se conoce de dónde vino el maestro, no hay historia ni recuerdos, nada, solo el misterio.

Él, es un cíclope venido de los confines del Shamballa.

Un monje lo interrumpió:

- *Maestro, este hombre vino en busca de ayuda, quiere descubrir los secretos del sufrir, quiere hablar contigo.*

- *¿Qué puedo hacer por ti?*
Con la venia de respeto, dijo.

- *Señor, se han cerrado las puertas de mi destino, hoy, se ha cubierto mi existencia del dolor, la pena y la desdicha.*

- *La desesperanza se ha hecho dueña de mis anhelos, ahora es como en este día, no hay luz en mi sendero, la tristeza me acompaña y esta sensación de angustia no me deja en paz.*

- *¿De verdad tienes y sientes eso?*

- *Si maestro, este mi último halo de vida, no veo salida, ni encuentro sosiego ante la adversidad.*

- ¿Consideras que has concluido? ¿Qué ya no hay para ti, en este mundo, ¡nada más!? Pero no te has dado cuenta, llegaste hasta aquí, en una noche invernal, así que aún en tu desesperación, aún hay luz.

- No, no hay, mi vida ha sido un fracaso, intenté mil cosas, amor, trabajo, estudio, luché cada día, al final, terminó mal.

- Así, que tu vida ha sido un fracaso o al menos, eso consideras. ¡Acompáñame!

Caminaron por los laberintos interminables, algunas antorchas humeantes habían extinguido su luz, al fondo la puerta que da paso al puente de las estacas, un lugar despiadado.

EL FOSO DE LAS ESTACAS

Un puente de sabiduría

- *Camina por ese estrecho puente, es aquí donde se encuentra el éxito o el fracaso, la vida o la muerte, es donde enfrentarás tus temores, si quieres morir, morirás, si quieres vivir, vivirás.*

El hombre miró al monje aterrado, al frente, un puente colgante de viejos maderos, sin barandas, suspendido en el aire.

Abajo, a unos metros, un foso de afiladas y largas estacas.

Allí se apreciaban calaveras, esqueletos empalados, estacas cubiertas de restos de hábitos desleídos, manchados de sangre.

El hombre quedó petrificado.

- *No, puedo pasar por ahí, si caigo sufriré una terrible muerte.*

- *Dijiste que tu luz se había extinguido, que está, es tu última opción, ¿Temes morir, pero no deseas vivir?*

Este es el puente entre la vida y la muerte o mejor; si prefieres, entre el éxito y el fracaso.

Aun así, antes que quieras intentar algo diferente mira hacia atrás...

La puerta había desaparecido, tan solo centímetros los separaban de un abismo alfombrado por las nubes, no se veía el fondo. Kadaisha y el aprendiz, contemplaron el puente, veintiún pasos de madera envejecida, sostenidos sobre frágiles cuerdas.

Cada tablón posee una serie de viejas inscripciones, un lenguaje no humano, sigilos o sellos de profunda sabiduría.

- *¡Atraviésalo!*

El hombre contempló la profundidad del foso, miró lo inestable del puente, el jardín de estacas, sin ningún apoyo, movió la cabeza como gesto de negación.

- *Si lo hago; moriré.*

- *Así es, no inicias una empresa, sin que antes no te estés preparado para hacerlo, escucha bien. Un puente, no es nada más que la unión entre dos orillas es el eslabón que une el presente con el futuro, un sueño con la realidad.*

En los actos de la vida, las ilusiones que nacen, en el amor que se profesa, están unidos con puentes invisibles. Al igual, esas pasarelas penden, sobre dagas que te destruirán.

Si te aventuras en acciones osadas, sin prepararte, ¡Morirás! Sin duda, llegarás a la otra orilla, pero, debes prepararte.

Tendrás que olvidar lo aprendido, vaciar el vaso de tu consciencia, lo tienes lleno de temores, ansiedades, recuerdos inútiles que te hacen daño, tu frustración no es por el fracaso aparente de tu vida, es porque nunca has concluido; lo que has iniciado, han sido intentos fallidos.

La vida, es un continuo aprendizaje, el alma se atrapa en el profundo dolor, donde las penas se acumulan.

La soledad, el desespero, la renuncia temprana, el esperar demasiado de lo no realizado, se convierte en el fracaso. De alguna manera, las improvisaciones; terminan destruyendo los grandes ideales.

Hacen mella en el espíritu, se acopian impidiendo pensar, en ese encierro dramático, solo queda escapar y renunciar.

Pero, así, como el eco eterno se repite, se termina convencido, que nada se logrará.

Es el miedo interior, la duda e incertidumbre la que paraliza la voluntad, no hay ningún movimiento del alma, para avanzar.

La negación, la imposibilidad, las justificaciones equivocadas son la razón para no enfrentar la adversidad, aceptando la derrota.

LOS PRIMEROS PASOS

Un sendero de poder

La nieve cubría de blanco las losas del monasterio, algunos monjes sumidos en profunda meditación vaciaban otras copas.

Un poco más lejos de las escalinatas, el valle del poder, una planicie que termina cerca del acantilado, colocados de forma espiral, varios puentes, primero sobre el césped, le siguen otros cada vez más altos, el último; sostenido sobre las cuerdas inestables bordea el abismo.

- *No harás nada que no sepas hacer, para lograrlo; debes aprender, entrenar, actuar, vencer tus miedos, romper el muro de tus temores.*

Ahora comenzarás, por lo simple, este es el primer durmiente, como aprecias está cubierto de brea, si caminas sobre él te resbalas, entonces ¿Qué es lo primero que debes hacer?

- *Limpiarlo, secarlo, quitarle el alquitrán.*

- *Bien, ¡Comienza! Sugiero que lo hagas despacio, así no volverás a empezar.*

El aprendiz, tomó la esponja, el balde, la arena, lentamente comenzó el trabajo, la negra mezcla cubrió sus manos, con el frío se hacía más difícil la labor.

Una y otra vez, arena, estopa, fregar y refregar, limpiando cada parte, de pronto… al quitar la capa que lo cubría, fue apareciendo un extraño símbolo.

- *Ahora, limpia esa parte con cuidado, verás brillar el primer escalón, cuando veas el símbolo, trae dos baldes con agua.*

Después de interminables horas, apareció refulgente el sigilo, luego cumplió lo pedido.

✳ El Primer Arcano
Renuncia
Cizhi

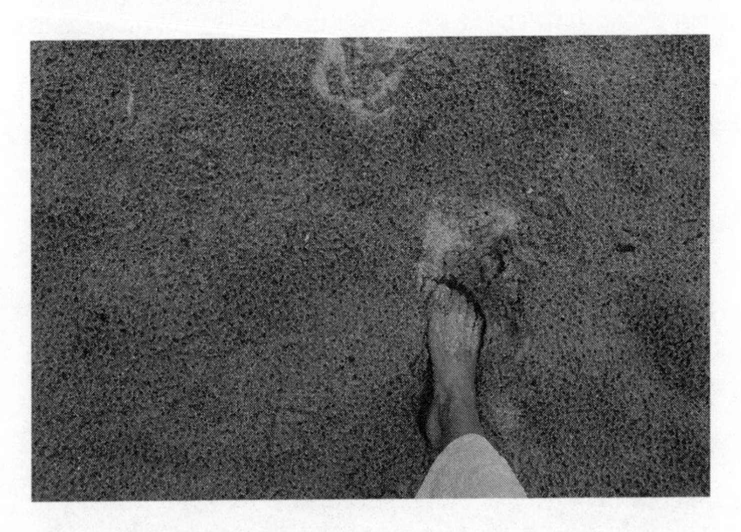

- *Maestro; ¿Qué significa ese símbolo?*

- Es la primera lección para descubrir el poder interior, un libro escrito en el viento que ahora debes leer, significa; ¡Renuncia!

- ¿Renunciar? No, tengo a qué renunciar, no hay nada en mi vida, a qué renunciaría.
- Ya lo sabrás.

Por ahora, ve a descansar, mañana al alba aquí nos volveremos a encontrar.

✳ Día Uno

Un amanecer frío, las manos adoloridas, allí estaba el aprendiz y su maestro, comenzando la historia de la transformación interior para superar la adversidad.

- Controla el frío con tu mente, hazlo parte de ti, será tu entrenador el día de hoy.

- Qué debo hacer, Maestro.

- Ten calma... vas a limpiar la nieve del tablón, luego, te pararás encima de él, tomarás los baldes con esta vara, la pondrás sobre tus hombros, sostenla hasta que regrese.

Pero, no podrás soltarla, pase, lo que pase, así te duela, mientras eso haces, vas a revisar toda tu vida, tus desaciertos, vas a renunciar a tu dolor, a la infelicidad, renunciarás a tu desdicha, por cada una de ellas, vas a vencer sobre tu emoción, sosteniendo los baldes.

Cuando sientas desespero por renunciar, te pararás sobre un pie y harás equilibrio, luego sobre el otro, hasta que venzas y renuncies a tu sufrir.

Si consideras que no lo lograrás y quieres abandonar, la salida del templo está por el lado de esas palmeras, jamás regresarás.

¡Pruébate, tú puedes!

Te sugiero, hazlo con calma, convence a tu mente que no hay frío, controla tu cuerpo, los baldes no pesan, tú y ellos son uno.

- Lo intentaré maestro.

- No, no lo intentes, ¡Hazlo!

El monje comenzó a realizar la tarea, el agua de los baldes se había congelado, una capa de hielo flotaba sobre el agua.

De pie, con los brazos a los lados, sostenía el peso, pero, no era tan difícil como la guerra que se desata en la mente.

Probar la voluntad es un arte sagrado de concentración, destruir las murallas del no puedo, imposible, no soy capaz, me es difícil, no lo conseguiré, no es fácil, se requiere del poder interior.

El tiempo transcurrió, el cansancio se acumulaba, la inquietud, el desespero, una lucha entre abandonar o vencer. Al inicio, la mente se pierde en pensamientos absurdos, acostumbrada a no luchar ni exigirse, intenta escabullirse.

Pero, es ahí, donde el poder interior toma el control, la quietud va llegando, al contemplar a los demás monjes en meditación se hace igual, relajar la mente.

Luego de horas interminables, en profunda calma, posado como la cigüeña con los brazos extendidos, la mente del aprendiz estaba en quietud y reposo, sin importar ni el frío, ni el peso, ni el cansancio.

Esperaba al maestro, debía seguir ahí, él regresaría, para liberarlo de la prueba.

Transcurrió el tiempo, la desesperación comenzó, los monólogos fluyeron, ¿Qué hago aquí? ¿Qué voy a sacar de esto? ¿Será que me voy? ¿Por qué no viene? ¿Voy a abandonar? No, mejor lo intento hasta que vuelva, los sentimientos se amontonan, el dolor es insoportable, las lágrimas brotan como bálsamo ante la impotencia.

El miedo aumenta, la angustia, los brazos adoloridos tiemblan. Se sufre, pero, en lo más profundo, el guerrero se levanta, esa voz que poco se oye, que dice ¡Sigue!

Un poco más, exígete, ¡Hazlo…!

La oscuridad llegó y con ella la calma, un día completo de lucha interior, un aprendiz sosteniendo dos baldes de agua.

Aun así, dentro de su ser, se libró una increíble batalla.

Cerca del amanecer, regreso Kadaisha.

- *Lo lograste, sabía que lo harías, suelta con cuidado los baldes, mueve los brazos despacio. Cuando te recuperes, toma la resina, vuelve a cubrir el arcano, ve a dormir.*

- *Maestro...* «Con un ademán lo detuvo»

- *Ahora, no digas nada, guarda silencio, termina y duerme, más tarde, luego que descanses; aquí te espero.*

✻ Día Dos
Segundo Arcano
Armonía
Hexié

Al igual que el día anterior, se encontraron frente al segundo durmiente, nada lo cubría, pero, estaba soportado sobre la punta de una pequeña pirámide.

- El significado de este sigilo es armonía, luego de ayer cuando tu mente entró en conflicto vas a evaluar el SENTIDO de tu vida.

Tendrás que realizar varias tareas al tiempo, mantener el equilibrio sobre la tabla, evaluar en tu interior las bondades de la luz y la oscuridad.

Vas a buscar qué aprendiste de lo que has vivido, trata de comprender que es lo bueno de lo malo y lo malo de lo bueno.

En tus sentimientos, vas a mirar dentro de ti con toda claridad, si buscabas que te dieran amor o diste amor.

En tus pensamientos, vas a mirar los dos extremos, «mientras evitas caerte» cuando estés listo, tomarás esta copa con agua, la sostendrás en tus manos, una a la vez, si te cansas, cambia de mano. De ti depende si el agua se riega.

Igual evita caerte de la tabla.

- Maestro... «Nuevamente, lo detuvo»

- Yo te diré cuando hablaremos, las respuestas están dentro de ti.

El aprendiz inició otra tarea, pensó, cómo subirse, mantener el equilibrio sosteniendo la copa con agua.

Al entrar en el mundo misterioso de la sabiduría, la armonía interior es uno de los artes más complejos, conocer la variación que existe en la dualidad de algo.

Dos extremos y un centro, un ritmo que se mece sin detenerse viajando de uno a otro.

En el templo, el sentido de la libertad se traduce en dos aspectos; bueno o malo, pero, saber el significado en cada uno, es uno de los misterios del equilibrio.

En el fondo, no existe nada bueno o malo, son puntos de vista, ganar es bueno, perder es malo, no obstante, perder es aprender, descubrir, errar, equivocarse o acertar.

Es la sabiduría, el equilibrio interior se transfiere al exterior.

Dos extremos, es la mente la que viaja de uno al otro polarizando los pensamientos, las emociones, la idea es mantenerse en equilibrio.

Para esto, se debe ver, buscar, analizar y comprender, en dónde se encuentra el otro extremo, construir sobre la destrucción, hallar el triunfo, escondido en la derrota.

El aprendiz intentó subirse, un pie, otro pie... balanceo, nada, cuando algo no sé conoce se requiere de caer o fracasar, pero, es donde el fracaso, se convierte en aprendizaje.

Al final de unas horas, se sostuvo, hacía malabares de un lado a otro, con el tiempo fue venciendo la cadencia, despacio, su mente y su energía se armonizaron, luego la quietud, el equilibrio, la copa.

En esa quietud cerró los ojos y el tiempo transcurrió.

Más allá de la medianoche, el maestro regresó.

- Lo lograste, baja de ahí, dime, que hay en tu mente ahora.

- Maestro, ayer y hoy, estas dos tablas me han mostrado que estaba atrapado en un mar agitado de emociones, una turbulencia constante de pensamientos.

Estaba ciego del mundo, solo contemplaba mis problemas, el pasado, los sucesos destructivos de mi vida.

Ahora, a pesar del cansancio físico, siento que tengo claridad, dentro de mi ser hay serenidad.

- Cuando la vida te pone a prueba, pero tu alma está atada con los momentos que consideras adversos, es cuando caes en el abismo de la desolación.

»Los sentimientos se alteran, nublando la razón, quedas atrapado dentro de ti, vas creando una cárcel donde conviertes tu mente en el reo que nunca saldrá.

»Así, una y otra vez, tratas de abrir esa celda, pero, siempre fallas, consideras entonces que has fracasado, te ciegas, te vences, aceptas ser el presidiario de tus actos.

»Te estrellas contra los barrotes de tus pensamientos, sin encontrar una razón, supones, de manera equivocada, que el mundo está en tu contra.

»Vas de un extremo a otro sin control, tus miedos te llevan a aceptar la derrota, sin ni siquiera haber luchado.

»Tu alma entra en el peor de los conflictos, has creado la mazmorra del fracaso en tu mente, has entrado en ella y, aunque no tiene cerrojo, te encerraste.

» Perdiste el equilibrio entre tu interior y tu exterior, vas de un lado a otro y lo peor, lo aceptas.

»Al igual con el tablón, ayer debiste vencer tu dolor, hoy aprendiste a controlarte, al inicio tambaleaste, lo ¡lograste! Y la copa no se regó.

»Ponte esta venda, tapa tus ojos y sube al tablón, pero; te sostendrás en un pie.

- ¿Un pie?

- Sí, tienes en tu mente, el poder, ¡Hazlo!

Allí, como una estatua inamovible, el aprendiz en un perfecto equilibrio se mantuvo hasta el amanecer.

Cuando el equilibrio interior se encuentra, se descubre la armonía, se vive en la colmena de la existencia, los altibajos de cada día, secuencias constantes en el ritmo perpetuo, flujo y reflujo.

En el templo, la dualidad muestra que los extremos se concilian en un suave vaivén.

✳ Día Tres
Tercer Arcano
Tai

- Mira bien, este sello, simboliza el deseo más ferviente que existe en el alma, la Paz, esa sensación de profunda serenidad, donde el conflicto, ha terminado.

»Pero, la paz, entraña en su esencia, el caos, la guerra, la hostilidad, el enfrentamiento, la desigualdad. De los estados del alma, el más peligroso; es la paz.

»Frágil como una pluma al viento, temporal y efímera, no existe una paz duradera, porque aún la misma paz, en sí, es el conflicto.

»Precede y antecede las tormentas, la paz interior no existe, te balanceas como un péndulo entre dos luchas, la que dejas atrás y la que, sin duda, vendrá.

» No hay paz que dure más de un instante, se rompe con el aliento de una brisa, se destruye con un pensamiento, se ahoga con el miedo.

»Llega, después del caos, aparece de la nada, es la ceniza que queda del fuego destructivo y de ella, brotan las esperanzas.

»Mantener la paz, es una difícil misión, pero, estarás en armonía, si conoces las señales de la guerra.

El aprendiz inició otra experiencia, el tablón sostenido en el aire sobre dos cuerdas, se movía con el viento, la nieve sobre él, lo hacía resbaladizo.

Colocado de tal forma que se deslizaba sobre las sogas, un descenso largo, la altura aumentaba hasta llegar al final en una plataforma.

La suma de los dos días anteriores, calma, serenidad, fortaleza mental, física y equilibrio, combinado al tiempo.

Confiando se trepó sobre la tabla, el maestro le dijo.

- *Siente, no con tu piel, sino con tu mente, siente en tu ser las suaves señales que te indican hacia dónde el equilibrio se pierde, compensa antes del caos, cuanto más lento, concentrado lo hagas, si percibes las vibraciones llegarás lejos.*

»Permite que tu energía vaya adelante, sentirás el viento, la inclinación, aprenderás a volar, vence tu miedo.

Inició el descenso, una rodilla a un lado, equilibrando el balanceo, tres o cuatro metros, se desestabilizó y… cayó rodando.

Un fuerte golpe, amortiguado por la nieve, nadie hace algo que no conoce, nadie intenta aventurarse en empresas sin evaluar los riesgos, pero, son necesarias las caídas en el aprendizaje, así se consideren un fracaso.

- *¿Por qué crees que fallaste?*

- *Maestro, sentí miedo, me descontrolé, no pude mantener el equilibrio, me fui de lado a lado, hasta caer.*

- *No fueron tus ojos ni tu cuerpo, fue tu mente la que los alteró, intenta algo, debes confiar en tu fuerza interior, ponte esta venda.*

- *¿Con los ojos cerrados?*

- *No, con los ojos vendados, para que veas con tus sentidos, la vista engaña, pero, si sientes sin ver, verás lo invisible, sabrás antes lo que va a pasar ¡Hazlo!*

Asustado se trepó al durmiente, se vendó los ojos buscando el equilibrio, se agachó, acomodó sus pies y sus piernas, las manos a los lados, como si estuviera sobre unos esquís.

Se balanceó, agudizó los sentidos, el centro de gravedad para estar en equilibrio, empezó… el descenso.

El viento soplaba, las cuerdas vibraban cambiando el movimiento, al inicio buscaba compensar despacio, luego tomó velocidad, se armonizó, un descenso suave y perfecto. Al llegar se quitó la venda, «saltando de júbilo» feliz de haberlo logrado.

- Aprende a manejar la tristeza y la felicidad de igual manera, mantén tus emociones en equilibrio, debes aprender a hacerlo.

- Pero maestro, para mí es un logro.

- Aun así, las pequeñas alegrías desenfrenadas también te desestabilizan retrasando tu meta, es la primera señal del fracaso, ahora hazlo sin la venda.

Una vez, más, las emociones cumplieron su cometido, estaba alterado, dos, tres metros, otra caída, otro intento, cuatro metros, otra caída, necesitó de un día, para lograr lo que hizo con los ojos vendados en un minuto; llegó la noche, el maestro ya no estaba, pero el aprendiz seguía practicando.

✳ Día Cuarto, Quinto, Sexto y Séptimo
Arcano
Shan
La Montaña

Luego de una noche agitada, una prueba más para comprender el éxito o el fracaso, el final o el inicio, renunciar o seguir.

La vida es una enorme montaña, con ascensos y descensos, algunos fáciles, otros pronunciados, otros escarpados, no hay dos similares.

Sin embargo, se esconde siempre la caída al abismo, que es, en sí, la seguridad del inicio, la montaña, se transforma en dos extremos, vida o muerte, éxito o fracaso.

Inicias desde la seguridad del suelo, en cuanto más alto asciendes, más profundo será el abismo al que caes, si te resbalas.

Al igual, cuanto más sea tu emprendimiento, más grande es la pérdida; si pierdes el rumbo.

Las lecciones escondidas en el monasterio, el aprendiz, listo, Kadaisha, apareció como una sombra entre la bruma.

- *¿Cómo está hoy tu alma?*

- *Maestro, la felicidad ¿Es mala?*

- No hay nada malo ni bueno, la felicidad, al igual que la paz, dura tan solo un fugaz instante que; igual, antecede o precede una tristeza.

»Paz, éxito, fracaso, dolor, alegría, las pasiones son cambiantes, depende del estímulo que las altere, van de una polaridad a otra, el estado ideal del alma es aprender a estar en equilibrio.

»Al avanzar hacia una emoción, das el doble de espacio a la contraria, si subes dos metros, en tu caída, serán cuatro, aunque no puedas caer más allá de dos. Ya lo comprenderás.

»Ahora, conocerás el flujo y reflujo de la existencia, los cambios, lo inesperado, debes recordar que, no existe la estabilidad.

»En la naturaleza, en la mente, en el cosmos, nada es estable, una mutación perpetua rige la continuidad del tiempo y aun el tiempo, no tiene estabilidad.

- Maestro; si no hay nada estable, ¿Cómo se controla ese balance? ¿Cómo saber cuándo se produce el cambio?

- *Ya lo hiciste, en los días anteriores, no es algo que razones o expliques, es un sentir interno, un tenue cambio que termina alterando tu espíritu.*

Allí, suspendido en el aire, un puente flotante con ocho escalones, cuatro que ascienden, cuatro que descienden, puestos sobre dos sogas, asemejan los brazos de un pedestal.

Separados por un espacio, puestos sobre dos cuerdas movibles, así; al moverse un durmiente avanza o se atrasa, cambia de posición, sube de un lado o del otro.

Al final del puente, dos monjes cubiertos sus rostros, cada uno sostiene una de las cuerdas.

No será fácil transitar ocho escalones, pero, en el templo, se trata de conocer los cambios abruptos de la vida, esperar siempre; lo inesperado.

Estaba asustando, nervioso, no hay soga de protección, no hay un colchón que lo reciba, no hay nada, dependerá de él.

Comenzó a escalar, se notaba como su mente se serenaba y sus sentidos se expandían, más que ver, sentía en sus pies los cambios.

Pero, tan solo tres movimientos, perdió el equilibrio cayendo, se quedó inmóvil sobre la nieve.

El maestro, lo observaba con su único ojo…

- *¿Consideras esto un fracaso?*

- *Si, Maestro, he fallado, no sé qué sucedió, caí sin control, intenté estar preparado, pero, el repentino movimiento me sorprendió.*

- *La vida, es eso, lo inesperado, a pesar, que conocías lo que podía pasar, pasó, existe en el alma un extraño sentimiento, la confianza, supones que ya estás capacitado para algo, cuando hasta ahora comienzas a hacerlo.*

»Esa falsa seguridad y la premura de lograr objetivos rápidos te llevan a perder la concentración, tu mente se distrae, no evalúas, no sientes, confías que podrás, pero terminas mal.

»Ahora, te sientes derrotado, naufragas buscando un ¿Por qué? No sabes la razón de tu frustración, aparecen las dos opciones, lo intentas hasta lograrlo o renuncias.

»Necesitarás algún tiempo para empezar a subirte al primero, un tiempo más al segundo, y un tiempo para pasarlo o quizá nunca lo hagas.

»Solo, el aparente fracaso repetitivo, te conduce al éxito tan anhelado.

»Cuántas más veces caigas, duplicas tu aprendizaje, así que debes comprender que el fracaso no existe.

»El éxito, se logra con pequeños y constantes fracasos. Al igual que la vida, en lo que hagas, debes aprender de tus errores.

»Al caer la noche, en la terraza, aprenderás otra lección.

Transcurrió el día, lo intentó muchas veces, no alcanzó a pasar del primer escalón.

Se notaba la frustración, la ansiedad, la impotencia.

A los lejos, los monjes entrenaban, unos, intentando caminar sobre el agua.

Otros, concentrados en extrañas posiciones, abrazando con las piernas un tronco, mientras pendían boca abajo.

En el templo, como en la vida, se debe entrenar el cuerpo y la mente, la inactividad física, lleva con la pereza mental. Comenzar de nada, avanzar, practicar, intentar, una y otra vez.

Al hacerlo; se crea una disciplina, amor propio, al entrenar, se aumenta la fuerza de voluntad para alcanzar las metas. Al contrario, estar inmóvil, daña el cuerpo y anula el espíritu.

El corto día invernal se apagó, llego la noche, en la terraza, cerca del abismo, se encendió la hoguera, la llama de la sabiduría, otra lección de Kadaisha, una experiencia para el alma.

Los monjes se reúnen, atrapados en sus capuchones, escuchan las historias de Kadaisha, leyendas llenas de sabiduría.

Cuando el maestro narra, cada uno imagina que es el actor de la historia, la aplica su vida, medita sobre ella, así encuentra las respuestas.

Al fondo del pasillo, apareció enfundado en el hábito, caminando sin afán, el maestro desciende de los cíclopes, nadie sabe de su pasado.

Se acomodó cerca de la barandilla, las nubes servían de telón refulgiendo con las luces de las teas.
Las monjas y monjes prestos a escuchar la voz del maestro:

Habló Kadaisha

«¿No vale más la experiencia, que el tesoro? El uno se pierde, el otro se perpetúa en la eternidad.

El alma se debate entre el poseer y el ser, nada tasa el saber, de quien ha vivido para aprender.

La maestría es el arte de saber fracasar, mejor quizá; de encontrar el sendero que lleva al acierto y por ende a la realización, la plenitud no tiene un final, el fracaso es donde aprendes, siempre... un poco más.

Hace tiempo... en la lejana tierra, más allá del mar, donde las playas besan las arenas del inmenso desierto. Un nómada del tiempo... como camellero, comenzó a trabajar.

No conocía nada de las dunas, los camellos, el oasis, menos sabia ver en las estrellas los caminos que marcan los lugares.

Nada... un aprendiz de la vida, sin embargo, tenía la necesidad de hacer algo por su vacía existencia, pensó que era fácil en lo que iría a trabajar.

¿Quién le explica a un necio, lo que él no quiere saber? Debe sentir y aprender, solo... lo logrará afrontando la adversidad.

Emprendió el camellero su viaje, suponía que el sofocante calor sería su abrigo, que al igual que los camellos, no tendría sed.

Si ninguna preparación, se aventuró a recorrer los laberintos del desierto, llevaba una carga y diez camellos, un viejo mapa que le indicaba dónde... debería descansar.

El candente sol, la arena, el viento, no sabía ni cómo usar el shemagh, (Bufanda de Beduinos) al contrario, se quitó la ropa, algo que no debería hacer.

El día viajó a ninguna parte, al caer la noche lo comprendió, estaba perdido.
Los dromedarios, tranquilos, se echaron a rumiar uno pegado del otro.

Anocheció... su primera noche en desierto, trató en vano mil veces de armar la carpa, pero, no pudo ni encender la hoguera.

Maldecía desesperado el haberse aventurado, lloraba, luego de un día de intenso calor, la noche se enfrió hasta congelarlo.

Sin saber dónde estaba, no hay sendero para regresar, no hay señales, tampoco se logra avanzar.

Una noche larga, sin agua, pensaba que pronto moriría, miraba los camélidos, la carga, el desierto, miraba sus pies en la arena, entró en la desolación, y cansado, así se durmió.

Despertó... por unos instantes, el hombre supuso que era una pesadilla, la realidad está ahí, solo en el desierto, dependiendo de su fuerza para salvar la vida.

Buscó entre las alforjas algo para comer, pero, no había nada, los animales de la noche consumieron sus pocas viandas.

El sol se levantó, el viento sacudió las dunas cambiando el paisaje, dicen los nómadas... que el desierto tiene vida, se transforma, cambia, enloquece.

No tardó mucho, el hambre, el calor, la sed, se unieron, comenzó a tener visiones, los espejismos aparecieron, fuentes de agua, ríos, alimentos, se levantó esperanzado de estar cerca... pero... la alucinación se desvaneció.

Otro día, sin saber que hacer, la caravana echada, los camellos tranquilos, esperaban la orden de avanzar.

Una, difícil situación, en el alma, en el trabajo, en la cotidianidad de la vida, existen desiertos, que, si bien esconden la felicidad, debes primero, conocerlos.

Pasaron varios días, el hombre estaba abatido, no tenía más lágrimas, vio varias veces pasar su vida, los recuerdos, sentía pena por los animales, sabía que iba a morir.

Cuando la adversidad sobreviene, la negación hace su aparición, el aparente fracaso induce a la mente a interrogar, el por qué se hizo lo que se hizo.

Pero, de alguna manera, siempre existe en el interior la fuerza que impulsa a continuar, ese extraño ser que duerme dentro ¡Por encima del dolor! Se despierta y empuja.

Los camellos se pusieron inquietos, no tenían guía, no obstante, conocían el camino al oasis. Como si fueran uno solo, al tiempo, se levantaron e iniciaron el viaje.

Se dejó llevar, mientras seguía en sus lamentos, la autocompasión, es el peor enemigo del avance.

¡De pronto...! Cambió su pensamiento, «claro, ellos saben a dónde ir»

Con la serenidad que llega después de la tormenta, las opciones se despiertan, dejándose llevar por los dromedarios, llegaron al oasis, el agua fresca, los dátiles, la vegetación.

El fin temporal del fracaso, un oasis para el alma, siempre; existen esos oasis en la vida.

El calor intenso, el hombre se desnudó zambulléndose varias veces, pero, el agua estaba caliente, el cambio que ocurre entre la desesperación y la calma es una línea frágil, donde todo pareciera estar mal.

Sin saber que hacer, en las extrañas leyes del universo, aparece en la vida, ese ser que está presto a enseñar.

Lo puedes llamar como quieras, un ángel, un maestro, un demonio, duendes, genios, no siempre, tienen forma humana.

Un libro, un periódico, una canción, una frase suelta, un comentario, aun, un símbolo, puede revelarte un nuevo sendero.

¡Ese algo! Que la gran mayoría desestima, ignora o rechaza, la lucha del ego, que solo en la desesperación; clama por ayuda.

Sus cavilaciones fueron rotas, al observar una columna de humo, pensó, es otra alucinación, sin embargo… caminó el corto trecho.

Envuelto en la túnica, cubierta su cabeza con el turbante, allí… encendiendo la hoguera estaba «el morador del desierto»

Un viejo anciano, curtido por las arenas, lo miró con algo de asombro…

- No eres de este lugar ¿Qué haces aquí, tan lejos de casa?

- No lo sé, tomé un trabajo de camellero y debía llevar esta caravana, pero, me perdí, los camellos me trajeron.

- Y, tú, ¿Quién eres?

- Soy, un nómada, este es mi hogar, viajo guiando peregrinos que, como tú, terminan perdidos.

- ¿No te pierdes? ¿Cómo te guías?

Mientras colocaba algo de carne en las brasas...

- El desierto tiene muchos senderos, atajos, avenidas, señales, marcas, letreros que te indican dónde estás, por dónde ir, igual que la gran ciudad.

- Me estás engañando, ¿No existe tal cosa?

- Espera a la noche, los verás. Déjame ver que tienes en tus maletas.

«Revisaron el equipaje» fue colocando, de forma ordenada, la carpa, la ropa, un cuchillo, un pedernal y un par de cantimploras vacías.

»Tienes lo necesario, pero, de nada, sirve tener, si no lo sabes usar.

- Supuse, que podía hacerlo... pero.

Fue interrumpido...

- ¡Pero, nada! La misma disculpa, se aventuran en un mundo que no conocen, subestiman la realidad, no piensan. Sin embargo, aprenderás si quieres. Tengo todo el tiempo del mundo.

- ¿Me enseñarás?

- No, tú eres el que aprende del camino, él existe, es tu libertad, si descubres lo que esconde, tan solo te lo mostraré, tú lo caminas.

»Ahora, disfruta la cena...

- ¿Qué es?

- Rata del desierto, sabe bien y te dará fuerzas. Si no quieres, aguanta. El hambre te hará comer. Pero, si quieres vivir en el desierto, debes aceptar, lo que te da.

Así, el hombre... comenzó a suponer que fracasaba.

Junto al morador, encontró la más fantástica lección de la vida, «Cuanto más te equivoques, falles y sin vencerte, lo vuelvas a intentar, serás un maestro»

Descubrió la manera de encontrar alimento, hacer la carpa, cubrirse de día en lugar de quitarse la ropa.

Entendió la extraña razón por la cual los beduinos, atraviesan el desierto de noche, fuera de protegerse de las ardientes arenas...

Se guían por las estrellas, cielos limpios sin nubes, senderos ocultos en el firmamento, mapas invisibles que llevan a cualquier lugar.

Se debe saber mirar, el inexperto en el desierto no mira las estrellas, sino las arenas.

Pero, las huellas en las arenas se desvanecen igual de rápido que los espejismos.

Leyó un libro que pocos leen, descubrió otro lenguaje, el idioma del silencio, oír los susurros del viento, dejarse regir por el titilar de los luceros.

Sobre su camello, miraba el color cambiante de la arena, el viento, dibujaba en las dunas senderos. Dunas que aparecen y desaparecen, las repentinas tormentas no permiten que el paisaje se mantenga por mucho tiempo.

El viejo vagabundo, un gran maestro conocedor de los secretos, le enseñó a navegar en el universo de las dunas.

Le mostró otro sendero, el del alma, la calma sobre la adversidad, la paciencia frente al afán, la meditación profunda después de la equivocación.

Existe en el espíritu el poder de fracasar, nadie escapa a ese poder; cuando quiere triunfar.

El fracaso es el aprendizaje, algo difícil de comprender, se abandona la lucha, cuando el examen es exigente.

Se renuncia en la desesperación que produce una equivocación, se ignora, que el conocimiento requerido, fluye en los intentos fallidos.

Cada vez, se aprende un poco más, el éxito tan anhelado, no consiste en obtener el triunfo y los logros.

El éxito; es la sabiduría para aprender de los pequeños fracasos, en sí, el éxito es la cadena eterna formada de los eslabones de las equivocaciones.

Sin duda conocerás más, cuanto más te equivoques.

El tiempo desfiló, cada día asimilaba los secretos del anciano… una tarde… llegando al oasis, el morador del desierto estaba agonizando…

Kadaisha hizo una pausa mientras contemplaba el vacío del precipicio, las nubes se disiparon. Daba un espacio para que los monjes reflexionaran, un camellero, una vida, la misma vida, que muchos tenían antes de ingresar en el monasterio.

La muerte, del morador del desierto, sacudió las arenas, él contemplaba la agonía, un cuerpo que se agota, pero, la esencia fue plantada para renacer.

La posesión más valiosa, es el conocimiento, una semilla que no se debe desperdiciar, se cultiva en la obra y el actuar.

Se siembra en la tierra fértil, de quienes están dispuestos a descubrir el profundo saber de la experiencia.

Preparó con juncos la camilla, colocó el cadáver, la ató a un viejo camello también agonizante y los dejo machar.

Era su desierto, vivió, fracasó, aprendió de él, y a él volverá, miró la senda dejada por los troncos, el tiempo, no tardo en borrarla.

En una hoguera fue quemando las pocas pertenencias, si bien uno murió, al tiempo nacía otro morador del desierto.

Los días y las noches transitaron en el juego infinito de las horas, conocía el desierto, las estrellas, las dunas, sabía leer los pequeños vientos que avisan donde hay agua, donde están los oasis.

Conocía el arte de cazar, protegerse y vivir en las arenas.

Recordó las palabras del morador «El éxito en tu vida, estará completo, cuando enseñes a evitar tus fracasos»

Así fue como nació la escuela de camelleros, aún existe, no hay un morador, ahora son como las estrellas que tachonan las arenas.

El morador no buscó aprendices, ellos llegaron cuando, al igual que él, perdieron la esperanza, fracasaron en su primer intento, lloraron de miedo en la oscuridad.

Uno a uno, se fueron multiplicando, a pesar de eso, recuerdan la fuerza del maestro que no tuvo maestro, el grande, el que aprendió de sus fracasos.

No es una leyenda, ocurrió en el inicio de los tiempos, el poder de seguir; sale de la fuerza interior, cuando la necesidad de subsistir fortalece la voluntad.

El fracaso, al intentar encender la hoguera, termina; cuando aprendes a sentir de donde sopla el viento.

Y, para eso, tendrás que descubrirlo, en la segunda, en la tercera o después de muchas veces.

En ocasiones, suele suceder que el éxito tan anhelado está después del siguiente y simple fracaso.

Nunca tendrás una hoguera, debes luchar por crear una chispa, las chispas no tienen tamaño, por pequeñas que sean producen incendios.

Igual el éxito tan anhelado, la fortuna, el amor, aun el tiempo en su eternidad, nacen, de un centavo, un fracaso, una mirada y un instante.

Si logras unir un centavo a otro, tendrás la fortuna, si puedes enlazar los instantes, serás el dueño del tiempo.

No es la historia de un camellero, es la historia que se esconde en las almas.

A través de tu vida, en cada paso que das, en cada ilusión que forjes en el pensamiento.

En el amor que profeses, en la riqueza tan anhelada, en el triunfo, existe escondido un terrible desierto, el desconocimiento.

No existe el saber, ni la experiencia; antes de la vivencia.

Nadie vive la vida de nadie, es la extraña razón que impulsa a experimentar, intentar, buscar, alcanzar el triunfo donde otro, ha fracasado.

Suponiendo que se hará, pero, no será más que otro intento fallido.

La necedad del ego llega a extremos de ansiedad, la ciega confianza al realizar lo que no se conoce.

¡Eso está bien! No aceptar ni vencerse, solo es un cambio de actitud mental.

Comenzar por aceptar que se ignoran los secretos, lanzarse a la aventura de fracasar, saber que cuantas más veces se naufrague, mayor es, el aprendizaje que se tendrá.

Al hacerlo, el alma se fortalece, la voluntad se vuelve férrea, los sentimientos se armonizan, el reto de una nueva aventura no se convierte en la renuncia ni el fracaso.

De que le sirve a la bella gaviota tener alas y viento, si no tiene la fuerza interior… para volar.

Nunca es igual la nieve que cae en la montaña, el gélido viento no viene del norte, cambia con la luna y las estrellas.

Cada cual en su mundo interior deberá evaluar, qué le quita armonía, qué le altera los sentidos, cuál ha sido la razón para fracasar.

Ahora, se comprende que, en lugar de buscar el triunfo y éxito, se debe buscar fracasar para aprender a encontrarlo.

¡Pero, no! Busques encontrar el fracaso como rendición, ni el fracaso; como desgracia.

Busca el fracaso como sabiduría, transfórmalo en aprendizaje, descubre el conocimiento escondido que viene en la adversidad.

Si meditas en esto, comprenderás que solo aprendes fracasando, te aterrarás al entender; que, el éxito no es más que apilar los fracasos.

Ahora… deben meditar, si en sus vidas han fracasado o por miedo, dejaron de aprender, renunciando al éxito.

La noche se esfumó, Kadaisha desapareció en la oscuridad donde las antorchas, habían languidecido.

Los monjes, quietos, meditaban, el fracaso tan temido; ahora, sería el más deseado.

Fracasar sin derrumbarse, es el misterio que esconde el éxito, pero en sí, el éxito como tal no existe, en el continuo aprendizaje de la vida y los tiempos, no existe un final.

El monje quería volver a esa hora al puente de las estacas, sabía que debería fracasar para aprender a sentir, ver sin ver, adelantarse, fracasar, para poderlo pasar.

✳ Día Octavo, Noveno, y Décimo El arcano de ver lo invisible Jian

Amaneció otro día, otra lección, caminó mirando los ocho tablones, al final los monjes esperaban, pero no pensaba en lograrlo... ahora, pensaba... en prepararse.

Aprender, esa es la clave, mientras se aprende las equivocaciones aparecerán, no son un fracaso, debía cambiar el concepto.

Kadaisha, apareció de pronto, no se le vio venir, como si se materializara, estaba ahí.

- *Supones bien, hoy, debes aprender otra lección, la que te permitirá descubrir la fuerza de tu interior.*

- *Maestro, estuve meditando en estos días, he comprendido que en definitiva es uno quien mira la vida de diferentes formas, sin saber cómo actuar, nunca nadie me enseñó o al menos insinuó el control que se debe tener.*

»Descubrir el sendero por uno solo, sin ese "morador de la vida" así lo bauticé, es vivir una vida vacía tratando de acertar, se persigue el éxito, con afán, deseo, pasión y solo se logra el fracaso.

- *Así es, vas por el sendero correcto, debes reflexionar si al terminar estos veintiún días, eliges ser él, «el morador de la vida»*

»Fuera del templo, pocos conocen el arte de discernir, probar, cambiando el fracaso tan arraigado por el aprendizaje necesario para construir.

»El maestro de obra que construye una casa sobre el acantilado, no lo logró en el primer intento, aprendió de otros, muchas obras se derrumbaron antes de conseguirlo, él, percibía que estaba aprendiendo, así que nunca fracasó.

»Medita en esto, ¿Qué debió ver primero el maestro en su mente, cuando sintió el impulso para realizar esa tarea?

- Supongo que lo primero fue negar la posibilidad, construir al borde de un precipicio no es algo fácil, fuera que es costoso, tiene riesgos, no únicamente en construir, sino, que se destruya si queda mal.

- Tu mente, te lleva a lo habitual, ves los problemas, la negación, duda, imposibilidad, son las barreras que llevan al fracaso.

»Para el gran artesano, es un nuevo reto, donde; ni el éxito, ni el fracaso, existen.

»Ante la oportunidad, lo primero que hace es observar en su interior, si tiene el conocimiento y la experiencia para hacerlo y eso, lo ha obtenido a través de construir y destruir, aprendiendo los secretos.

»Cuando ha meditado en su saber, hace lo más importante, se aleja de la montaña, durante tres días no hará nada más que contemplar.

»Hablará con el viento, escuchará el susurro de la ladera, hará lo que nadie imagina, verá lo invisible del abismo, ese espacio vacío que pocos conocerán, el más grande y peligroso terror, el vacío del precipicio.

»No lo va a dominar, no podrá, al contrario; se fundirá con él durante tres días, sentirá cómo los vientos ascienden y descienden, conocerá el efecto del sol y las estaciones.

»Hasta contemplará el palpitar de la montaña cuando se expande o se contrae con la luna llena.

»Sin duda dialogará y discutirá con la lluvia y el monzón, más, hará el prodigio, no de dominarlos o someterlos.

»Se fundirá con ellos, será la montaña, el viento, la lluvia, el abismo, sentirá el suave influjo de la luna, aprenderá el ritmo de las estaciones, así sabrá cómo afectarán su obra.

»Con la contemplación, entenderá cómo hacerlo, dónde irán los durmientes, los espacios para que se encojan en el invierno y se expandan en el verano.

»Conocerá, cómo las horas de sol y oscuridad hacen que la montaña duerma y despierte, escudriñará sus íntimos arcanos, será el precipicio tan temido, será el viento, la lluvia, al final; él, es la casa.

»Eso harás durante tres días, contemplarás los tablones, qué los forma, las sogas, el viento, la nieve, los monjes, descubrirás el ritmo y la cadencia del movimiento.

»Serás el puente, primero en tu mente, luego tu cuerpo se moverá en el Tai Chi del cambio, si lo logras ¡Tú serás el puente!

»Ve, antes de comenzar a meditar prepárate, alista tus viandas, el abrigo para el frío, mira lo que necesitas para el viaje dentro de ti, de tres días.

»Al tiempo que aprendes a ser el puente, tu meditación te permitirá conocerte un poco más, también serás los elementos, Fuego, Agua, Tierra, Metal y Madera.

»Desde ahora y para el resto de tu existencia, antes de hacer cualquier obra, descubre el Chi que está presente, es importante que no lo ignores, los elementos cambian el rumbo, descubre su esencia.

»Está oculto, dentro de ti y fuera de ti, si no armonizas tu interior con tu exterior, si no te conviertes en el «Uno» vas a fallar hasta que lo comprendas o sin saberlo, renuncias pensando que has fracasado.

»No podrás verlo con tus ojos físicos, ni sentirlo con tu piel, aunque eres Chi, debes unirte a él, para ser él.

»Evita luchar contra los tres días, olvida el tiempo, solo imagina, siente, entra dentro de ti, lo de afuera no importa, en tu mente tres días pueden ser un minuto o mil años.

»Piensa, el momento de levantarte llegará, evita la ansiedad, aquieta tu espíritu, concéntrate en sentir.

Te voy a enseñar a ver dentro de ti, el puente del Chi.

»Cierra los ojos, relájate... respira tranquilo... deja que tu cuerpo se sienta ligero... suelta cualquier tensión que tengas, siente tus piernas, brazos, manos, siente tu rostro... entra en estado de armonía, respira...

»Ahora; pasa tu mano al frente de tus ojos cerrados, verás la diferencia entre claridad y oscuridad, repítelo hasta que seas consciente que lo percibes.

»Concéntrate en la claridad, es similar a un cielo profundo, relajante, no pierdas la visión con las imágenes que aparecerán.

»Deja tu mente tranquila, controla tus pensamientos, la claridad, mírala... busca el horizonte más lejano...

»Sigue mirando, hasta que veas que aparecen colores discretos, lejanos, difuminados, es el primer encuentro con tu Chi, sigue mirando...

»Aparecerán diferentes tonalidades, concéntrate en una hasta que toda la claridad sea de ese color, la que tú elijas, no importa.

»Luego… desea otro color, sigue… será sutil, sin fuerza, cuanto más relajada esté tu mente, el color fluirá de ti…

»Al lograr dominar los colores, buscarás el color morado, inundarás toda la visión, vas a observar el punto más lejano…

»Contémplalo, concéntrate… mira el fondo, de pronto verás un espiral, anillos que vienen hacia ti o salen de ti, déjalos fluir.

»Es tu energía interior… con tu deseo y voluntad, vas a hacer que vengan o vayan, rápido o despacio, de uno en uno o los que quieras, aprende a manejarlos, es tu mente y tu Chi.

»Cuando los domines, algo que te tomará un poco de tiempo, vas a manejar tu energía, cuando los aros vengan hacia ti, tu energía es la que está fluyendo.

»Cuando los aros salen de ti, estás recibiendo el Chi exterior. Debes tener esto presente; cuando vaya a salir de tu estado de meditación visual, deja quietos tus anillos mentales, que no vayan o vengan, equilibrio y armonía, has de esto una rutina diaria, cada vez lograrás avanzar más, verás grandes resultados en tu vida.

»Estás listo para meditar en los elementos que forman lo que quieres conocer, mira en tu mente, el Agua, el Fuego, la Tierra, el Metal y la Madera, que están en el puente, envueltos, en el Chi.

»Préstale la mayor atención a lo que no ves, el aire, el vacío entre los tablones, el viento, percibe el palpitar del corazón de los monjes, adelántate, siente la soga, únete a ella, sé la soga.

»Imagina todas las posibilidades, siente las suaves vibraciones, ve despacio, controla la ansiedad, comienza por la quietud... cuando sientas que estás preparado... ¡Hazlo!

- *Maestro ¿Y si no lo logro?*

- *Habrás fracasado antes de comenzar, es el primer pensamiento ante la obra, decretas en tu interior que, no lo harás.*

»Justificarás tu incapacidad, tu duda, te abatirás sin comenzar, si renuncias en una obra, siempre; renunciarás en todas.

»Nada impide que lo hagas, ya lo sabes, si quieres renunciar, la salida del templo está en las palmeras, ¿Eso en verdad quieres?

- *No maestro, Iré por las cosas y lo haré.*

El monje se preparó, algunas viandas, agua, una lámpara con aceite, túnicas de piel para el abrigo, se calzó las botas, los guantes, revisó los cinco elementos.

Se puso a completar el sitio buscando dónde meditar, quería aplicar lo sugerido por Kadaisha, cuál lugar es el mejor para meditar por tres días.

De dónde viene el viento, dónde cae más o menos nieve, dónde podrá dormir, recordó la historia del camellero, un pensamiento en su mente lo sorprendió «los perros»

Ellos lo saben, comenzó por las opciones, durante un tiempo investigó el actuar de los perros que viven en el templo, no dormían en la nieve sino en un rincón, bajo una cornisa.

«Comida para perros» otro pensamiento retumbó en su mente, necesitaría dormir junto a ellos.

Consiguió la comida, siguió observando, se concentró en evaluar los riesgos de ese paraje, el techo, la nieve acumulada, el vacío que allí existía y con qué podría llenarse.

Agua, Fuego, Metal, Madera y Tierra, en ese momento comprendió el poder que tiene observar, mezclando los cinco elementos.

Si el camellero y él lo hubiesen conocido, antes de emprender cualquier aventura, viaje, negocio, romance, estudio, lo que fuera, los cinco elementos del Chi hablan, nadie sabe cuánto esconde el vacío.

Pensando en eso, regresó por otra manta, más agua, comida, aceite, prefería que le sobrará, con esto, inició un viaje al interior de tres días, al menos era lo que suponía.

Cerca de la perrera se acomodó, ordenó las cosas, tal como lo hizo el morador del desierto, orden y prioridad, se puso el abrigo y allí comenzó a meditar.

En lo alto de un balcón, Kadaisha también lo contemplaba.

Durante las primeras horas estaba inquieto, no se podía concentrar, daba de comer a los perros, cambiaba de posición, se quitaba y se ponía el abrigo.

El proceso normal que va armonizando la mente, el cuerpo y entorno.

Pequeños cambios, la balanza de la mente busca el equilibrio, se acomoda balanceando el interior y el exterior.

Durante tres o cuatro horas estuvo meditando, por momentos lanzaba unas migas a los perros, sin salir de esa quietud.

Las sombras llegaron con la nieve, los perros lo rodearon, recostado, se durmió.

El amanecer del segundo día estaba sentado en una profunda meditación, no se sabe a qué horas comenzó.

La tarde… no había movimiento, solo una imagen de profunda serenidad, Kadaisha tampoco se había movido del balcón.

Maestro y alumno, unidos por el vacío.

La penumbra cubrió el templo, la nieve cesó, el candil no dio luz, el monje encontró el sendero hacía su interior.

Tercer día, horas de quietud, la comida, el abrigo, estaban intactos, aun la comida de los perros allí estaba.

Kadaisha se acercó sin interrumpir, con cuidado alejó a los perros, dejando al monje en un entorno solitario.

Cuarto día, igual, no cambio nada, en el templo, de vez en cuando los monjes logran ingresar tan profundo en sus mentes, que se pierden de la realidad, es un estado profundo de contemplación.

En una especie de ensueño, se empieza a ver el Chi, los aros, la mente se va dentro de ellos, el interior está en armonía.

Casi al atardecer, el monje retornó, salió de ese estado, con hambre y sed, se levantó buscando los perros, no estaban.

Algo desorientado, otros monjes lo miraban desde lejos. Recogió las cosas y se fue al templo, allí estaba Kadaisha.

- Maestro no creo haberlo logrado, fue corto el tiempo que mi cuerpo soportó. Lo siento, si he fallado.

- Nunca podrás fallarle a nadie, si así es, te fallas a ti. ¿No sabes cuánto tiempo ha transcurrido?

- No maestro, quizá un día, no lo sé, vi los anillos en mi mente, al principio era difícil, luego, aparecieron, comencé a jugar cambiándolos de color.

»Y luego, en un momento, al fondo apareció una luz, lejana, pequeña, sentía que me atraía.

»Sentí que iba hacia la luz, un rato después era algo celestial, colores refulgentes, arcoíris fantásticos, no sé cómo describirlos.

»Pude sentir la luz, era la luz, me extasiaba, no quería salir de allí, Maestro, no imaginé que algo así existiera, no hay palabras para describir, es sentir la poesía.

»Estando ahí, pensé en el puente, vi que estaba vivo, vi los árboles de donde se sacaron los maderos, el origen de las sogas, el alma de los monjes, el viento, conocí los secretos, Maestro, creo que hablé con la esencia de la vida.

- Han transcurrido cinco días desde que empezaste, has descubierto tu Chi, tu poder interior, abriste la puerta de la fuerza viva, en adelante usa tu don con sabiduría.

- ¿Cinco días maestro, en serio?

»Maestro, algo extraño paso mientras estaba ahí, pude verme, es raro, me vi incandescente, rodeado de una fuerte luz.

- Ven, a tomar té, escucha con atención lo que debes de saber.

»Los monjes; no lo logran en el primer intento ingresar al Chi, con dedicación llegan a descubrirlo ¡Tú lo hiciste!

»Dentro de cada ser mora atrapado el poder, la fuerza que gobierna la vida, los destinos, la existencia, es la energía primaria de la creación.

»El común, se desvive buscando fuera de sí, en el mundo o en el inframundo, en la luz o en la noche infinita.

»En el oro o en la belleza, lo buscan en otros, siempre, fuera de ellos.

»Ignoran, que la fuerza que rige todas las fuerzas está ahí, dentro de su piel, en lo profundo de sus pensamientos, tan cerca que no la ven.

»Sin embargo; lo perciben, intuyen que existe, por momentos, el poder fluye; logrando alcanzar lo que en su visión consideran un éxito.

»Otros lo bloquean mediante pensamientos, negación, limitaciones, algunas impuestas por influencias nocivas, soledad, ausencia de lucha, temores, malas compañías, cierran la puerta al fluir del poder, amores destruidos que destruyen las almas.

»Cuando lo descubres, posees el don del poder, al tenerlo, debe estar acompañado de una gran responsabilidad. Al igual que construye, también destruye.

»Esta fuerza que rige todas las fuerzas, no juzga lo que con ella hagas, la llevas a la luz o la oscuridad.

»La canalizas con tus deseos, debes de ser sabio al emplearla de acuerdo con las necesidades; en el fondo de tu ser, sabrás cómo y cuándo usarla, para cimentar o consumir.

»Ten cuidado cuando esto hagas, los aros que viste en tu contemplación te indican que, así como la irradias, de este modo también la recibes, lo que hagas con ella, siempre, ¡Tenlo presente! Retornará a ti.

»La codicia, el poder, el dominio, las riquezas, la sexualidad desenfrenada, los lujos pasajeros, el afán de poseer lo material, rompe el equilibrio de los cinco elementos, el Chi entra en conflicto, vendrá el caos, en el ritmo incesante de la existencia, nada perdura.

»En la medida del tiempo, la oscuridad, el abandono, la destrucción, la escasez, la pobreza, el desamor, es un Chi atrapado.

»En cualquiera de los extremos, la voluntad, el deseo, la contemplación y meditación, retornan a la armonía. Si esto se logra, se conquista el poder.

»Para armonizar tu espíritu, tu mente debe renunciar, vaciar la copa que ya colmada, ciega tu razón llevándote a las terribles tinieblas del sufrimiento.

»Los recuerdos, las vivencias, la aceptación de la supuesta derrota, el desprecio a vivir debe transmutarse, si no lo haces, la armonía no estará en tu vida.

»No importará cuanto intentes, nada saldrá bien, desearás el cambio en un instante, comprende; cuanto más te alejes de tu centro, así será el camino de retorno.

»Bajo el arte de la disciplina, exigencia, constancia lograrás recorrer el sendero de regreso, ten cuidado del otro extremo.

»El universo no cambiará por ti, nadie lo hará, eres tú el que deja limpio tu interior e inicias el cambio. ¡Eres tú, el cambio!

»Al vaciar la copa de tu vida, empiezas otra, es donde deberás aprender a usar tu poder, o vives por o para él. Una difícil decisión.

»Debes aprender, te equivocarás para hacerlo, dominar la fuerza requiere de descubrirla. Eso pasará cuando falles, así sabrás qué o no hacer.

»Domina tu mente y tu poder interior, luego dominarás controlando el mundo.

»Ahora debes entrenar, aplica lo aprendido hasta cruzar el puente, tú eliges.

✳ Día Once
Jundong
El arcano del movimiento

El monje escuchó con atención, sin duda algo maravilloso había ocurrido en su interior, la puerta se abrió a ese otro mundo, al aquietar la mente y el cuerpo, el espíritu fluyó en su máximo esplendor.

Un nuevo comienzo, el caos con el que llegó al templo había desaparecido, la mente serena, clara, ahora le mostraba otro horizonte.

Se quedó mirando el puente de veintiún pasos sobre el foso de las estacas. A lo lejos, el puente sobre las sogas, los monjes lo seguían esperando, no podría escapar a ese encuentro.

Se sentó a contemplar, los dos puentes y el foso, un jardín de estacas en el fondo, diferentes tamaños, se dijo «¿Por qué no caminar sobre las estacas?» una osada decisión.

Sin embargo, prefirió concluir con la lección debía practicar, entrenar y estrenar sus nuevos sentidos.

Se encaramó en el puente de los ocho pasos, no podía ver los ojos de los monjes estaban cubiertos por el capuchón.

Parado en el primer escalón, contempló el viento, la Tierra, el Fuego, la Madera, el Metal y el Agua, relacionó cada elemento con algo del puente, antes de intentar algo, se quitó el calzado, ahora vería con otros sentidos.

Los pies sobre el tablón transferían todas las vibraciones, aún llegó a percibir, después de horas de estar ahí, el palpitar del corazón de los monjes.

No eran sus ojos ni oídos, se estaba fundiendo con el puente. Por ese día no hizo nada más.

Tendido en la nieve, mirando el cielo, meditó en lo acontecido, cada parte de los días transcurridos, las manos sobre la nieve le permitían percibir otras sensaciones, lo desconocido de una nueva energía, que, aunque siempre está ahí, pocos la sienten.

Cerró los ojos, voluntariamente anegó su visión buscando el color, su respiración se fue apagando, quería estar en ese lugar de luz, sentir el poder, la fuerza vital del Chi.

Se perdió dentro de su ser, en el profundo abismo que lleva a la unión con el Todo.

Las horas fueron pasando, la noche y la nieve cubrieron el templo, cerca del alba, se produjo un bullicio, algo que no suele pasar.

Los monjes corrían a las cornisas de los balcones, mientras murmuraban preguntando;

- *¿La encontró? ¿La encontró?*

- *Sí, respondieron otros, mira alrededor ¡Míralo!*

Abajo, en profunda meditación, se veía a su alrededor un círculo de nieve, como si una campana lo protegiera, de alguna manera, se intuía el poder.

- *¡Encontró la iluminación! Alguien grito.*

- *En tan poco tiempo, debe ser un iniciado que no lo sabía...*

Los monjes opinaban, la luz que algunos habían encontrado y otros buscaban, afanosamente, la iluminación. Kadaisha se asomó al balcón, todos hicieron silencio, esperando escucharlo.

- *Un nuevo maestro ha nacido, los senderos de la sabiduría llevan al aprendiz a descubrir el maestro que mora en su interior. Igual que ustedes, lo descubren de forma diferente.*

Una de las monjas, que había entrado al templo tiempo atrás, le dijo:

- *Maestro; ¿Qué hace que unos encuentren como él, la iluminación y otros no?*

- *Los senderos a la sabiduría son variados y diferentes, las vivencias de cada uno los acerca o aleja de su esencia, las vivencias que parecen destructivas te llevan a reflexionar, es el primer paso para entrar dentro de ti.*

»La iluminación está en cada uno, al tiempo eres principiante, alumno, aprendiz y maestro. Depende en cuál te quieras quedar o si quieres avanzar.

»Tienes el poder; es tu mente, el miedo, el temor a perder los recuerdos y apegos, son los que crean la barrera entre la iluminación y el sentido de la vida.

»Una vida de aparente sufrimiento, derrotas y fracasos, desprende la mente del mundo material, la soledad, el desprecio, la agonía, va agotando el deseo de vivir.

»Es ese momento donde evalúas la existencia, un peligroso instante que bien lleva a la muerte o a la vida.

»Si encuentras el sendero correcto, te liberas de las ataduras mentales, no hay nada material que ate tu espíritu, al hacerlo lo descubres.

»Es cuando limpias el vaso interior, entras en armonía y allí, descubres la iluminación.

»Fuera del templo, miles, millones de maestros que se levantan de la adversidad, aquellos que perdieron, los que sufrieron penas, enfermedades, traiciones, dolor, muerte, quienes fueron en su momento despreciados, encontraron la luz en su interior.

»No quiero decir que se debe sufrir para hallarla, otros, descubren la luz al contemplar y valorar la vida.

»No es algo que puedas aprender, es algo que dejas fluir de tu interior, cuando entras en tu interior y abres la puerta.

»La clave de la sabiduría es sencilla de encontrar, a la vez que es difícil de aplicar, pocos lo logran, cuando pierdes el equilibrio, entre tu interior y tu mundo, te alejas de la esencia.

»El valor de la vida, no está en el poseer, ni el mostrar o alcanzar la fama y la fortuna, el valor está, en cultivar la semilla que traes a este mundo cuando encarnas.

»Así, como la naturaleza lo hace, serás el fruto y la semilla para otras vidas. Muchos, viven encarnaciones iguales, hasta que en alguna encuentran la iluminación y avanzan. Si no ¿Cuál sería el profundo sentido de la existencia?

»Encontrar la iluminación; es comprender que este universo es temporal, efímero, que, aunque se presuma que se tiene, en el fondo perdura la esencia interna.

»Cuando comprendas... que eres un huésped de tu cuerpo y descubras el huésped que lo habita, comenzarás a descubrir el poder.

»De lo contrario, vives en un cuerpo, en un mundo físico lejos de tu ser, conoce los elementos, mientras más Tierra seas, menos Chi tendrás.

»Pon en equilibrio tu mente, tu cuerpo y espíritu, sin duda encontrarás tu iluminación, ya estás en el sendero, sigue sin afán, sabrás cuando llegues.

»Ten presente, habitas un cuerpo material en un mundo físico, tu esencia no lo es.

- *Maestro, ¿Quién mora en mi cuerpo?*

- *¡Tú!*

El monje se incorporó, su semblante era otro, no existía la alegría de la primera vez.

Más controlado y sereno, acomodó el capuchón, fue al comedor buscando alimento, el cuerpo lo requiere por más poder que haya.

Renunciar, no se trata de anular, es mantener la armonía sin reprimirse, el cuerpo tiene necesidades, de hecho, en el templo hay un lugar donde se enseña la sexualidad tántrica, el manejo del sexo; fuera de las emociones, donde otra energía fluye.

Se tomó un tiempo hablando con otros monjes, contaba su experiencia, mostraba el sendero, su sendero, cada cual debe descubrir el suyo.

Las vivencias de la vida transportan el alma a confines o cárceles.

Los monjes; habían vivido diferentes experiencias que los condujeron al templo, al inicio, buscando refugio.

✻ Días Doce y Trece
Arcano Zhang
La muralla

El tiempo transcurre en el templo de forma diferente con el mundo que lo rodea, no hay relojes ni calendarios, se rigen por la luna y las estaciones.

Los días se suceden, las horas son diferentes para cada monje, algunos entrenan durante el día, otros, prefieren las sombras de la oscuridad.

Igual se descubre el poder en todas las cosas, pocos han visto el poder de quienes dominan el Fuego. Aprendices y maestros, que al tiempo son aprendices.

Igual que el Maestro del Agua, fundido para siempre en el pozo.

Se aventuró con los tablones, comenzó a sentir más que con su piel, con su energía, contempló, no la viga, sino los ocho pasos.

Los monjes movieron las sogas, él se adelantaba al movimiento manteniendo el equilibrio.
No había afán, sereno iba con el ritmo, aprovechaba el movimiento para avanzar.

Cuando el monje soltaba y el madero regresaba, avanzaba, cuando el madero se alejaba, se quedaba quieto balanceándose.

El movimiento, que ejecutan los primates en la selva con las ramas, cuando se acercan las toman y se dejan llevar, cuando se alejan, no las buscan. Es saber esperar el momento justo.

Durante dos días, recorrió los ocho escalones muchas veces, al final; vendados, los ojos los atravesaba una y otra vez.

No importaba el movimiento, él era el puente.

Kadaisha se acercó.

- ¿Ahora que piensas?

- Maestro, a pesar de tener estas nuevas sensaciones, me persigue el miedo al hacerlo en el otro puente, tengo dudas de lograrlo, las estacas del foso las veo en mis sueños atravesando mi cuerpo.

- Es el Zhang, algo que debes vencer, es la muralla, la barrera, que tu mente crea para detener tu poder.

»Son tus temores, fantasmas que emergen en la noche de tu pensamiento. Recuerdos que perduran.

»Sentir miedo, es normal, no debes vencerlo, ¡Conócelo! Conviértelo en tu aliado, fúndete con tu miedo.

»Vencer tu muralla, no es una tarea fácil, tendrás que confrontar tus más profundos y arraigados temores, deberás empoderarte de tu existencia.

»El mar agitado de tu alma, deberás calmarlo, caerás muchas veces, querrás renunciar, sentirás que no vale luchar, la muralla siempre querrá triunfar sobre ti.

»Deberás usar tu sabiduría, conocer tu muralla ¿De qué está hecha?

»Chi o viento, son las murallas ocasionadas por la mente, tu pasado, los temores acumulados, las ilusiones, el deseo.

»El sufrimiento del amor es una de las más difíciles de derrumbar, solo la libertad lo hace.

»Las ilusiones agotadas, las oportunidades desperdiciadas, la muerte, la soledad, esa muralla, anula tu existir.

»Zang de la Madera, es la de tu cuerpo y tus posesiones, las riquezas pérdidas, la enfermedad, la destrucción, la pobreza.

»En la muralla del Agua, encuentras, la familia, los padres, los hijos, tu nación, tu cultura, el abatimiento o triunfo social.

»Tienes la muralla del Fuego, la ira, el odio, el despecho, la violencia, la ignorancia, el desprecio. O las ilusiones pasionales, el éxtasis, el frenesí, la sexualidad descontrolada, la osadía.

»Una difícil de derrumbar, contra la cual debes luchar, es la de Metal:

«El oro que nada lo carcome; carcomerá tu alma» ¡Cuídate de esa muralla!

»Una que jamás podrás derrumbar, Heian de siwang, la muralla de tu muerte física, el Chi, no tiene murallas. Mientras tu cuerpo te permita vivir, tienes el poder para derrumbarlas.

»En cuanto algo emprendas, deberás mirar las que te atrapan, ¡Enfréntalas! Tendrás que llenarte de decisión, evaluar, contemplar, buscar en tu interior tus limitaciones.

»Aléjate de lo que quieres conquistar, contémplalo, fúndete, sé uno.

»Sentirás en tu interior cuando debas avanzar, ve despacio, no pierdas el control, el miedo te mantiene alerta, te avisa, no luches contra él, conviértelo en tu aliado, el puente te espera.

Veintiún tablones sobre el foso de estacas, un desafío no solo físico sino mental.

La mente, voluntad, la disciplina y la constancia son las sólidas bases para alcanzar el avance en cualquier empresa.

Sin embargo, en el afán de la vida se desea tener el poder, se sueña consiguiendo la fuerza, las historias, leyendas de grandes héroes que poseen capacidades increíbles.

Querer ver con la mente, viajar en el espíritu, en un desdoblamiento, percibir el futuro, tener la fuerza interior, poder obrar portentos mentales.

Se quiere tener éxito, suerte, dicha, amor, felicidad, alcanzar las cumbres de los deseos, vivir plenamente.

Se desea que ocurra de forma inmediata, pero, pocos logran al menos empezar una construcción interior. La inmediatez se ha convertido en el propósito del logro, querer obtener, el conocimiento, entrenamiento y sabiduría en un instante.

Se inicia con ánimo, se exige, pronto decaen, renunciando.

El poder fluye, mana gota a gota, hasta formar el mar.

Aprender a dominar la mente, es un arte que requiere tiempo y dedicación, un trabajo constante, cuanto más profundo se ingresa dentro de sí, mayor es el poder que se irradia hacia fuera.

Es la lámpara que se enciende, posee el combustible inagotable, alumbrando el exterior, irradia su máximo esplendor sin desear hacerlo.

Toda la existencia, con sus altibajos y aparentes fracasos, es mutable, la mente se encarga de crear universos de destrucción, empobrece el alma, evita que la fuerza se libere, la imaginación; un reo moribundo en la cárcel creada con el pensamiento.

Se vive una lucha constante, la negación vibra de manera perpetua inhibiendo el avance, se va contra la corriente en lugar de salirse del cauce turbulento de la vida.

Una pausa, en el diario vivir, un momento de contemplación, un instante para comenzar a recorrer el sendero íntimo, donde se encuentra la llave que abre todas las cerraduras.

No es fácil acceder al poder, el tiempo que se requiere para lograrlo no existe, sucede en un segundo o en mil vidas.

Son muchos los seres que han encontrado el poder del Chi en un terrible instante, un golpe, que anula la dignidad, un insulto humillante, un accidente, el infortunio, lo trágico y adverso, son llaves que abren el poder.

Cuando la dignidad es maltratada, el ego subyugado, sometido al infierno del desprecio, despierta el espíritu.

Algunos luchan, aprovechan ese momento para empoderarse, el dolor abre la puerta de forma brusca, se grita ¡Basta! De aceptar la mendicidad del alma.

Es ahí, cuando el poder comienza a fluir, en un instante, igual, si la aceptación es constaste y, la justificación está presente, en mil vidas, no se logrará.

Se siente la fuerza por encima de la tristeza, desdicha y adversidad, es un proceso que se inicia, cuando se percibe que no hay nada.

La máxima limitación está en el pensar, ese pensamiento del ayer impide el avance, de no vaciar la copa abandonando el pasado, el futuro deseado no llegará.

En el llanto, producto del dolor más intenso, fortalece el alma o la sumerge en los más profundos calabozos del sufrimiento.

Es la mente, la que hace la diferencia, el amor propio, la dignidad, la fuerza por vivir.

✵ Día Catorce, Quince y Dieciséis El arcano de la indecisión Yourouguaduan

Otro día más, el foso de estacas parecía brillar con la nieve que se derretía, el aprendiz, contemplaba el puente flotante, miraba la altura, sí se llegará a caer, su cuerpo sería atravesado encontrando la muerte.

Los monjes no estaban, cuando un monje se preparaba para probarse, los demás se alejaban, es un proceso solitario, sin espectadores.

Es vencer el muro de cada cual, una decisión interior, un conflicto consigo mismo. Kadaisha, enfundado en su túnica, era la única compañía.

- No es fácil dar un paso para el cambio, en tu mente ahora se debate una batalla, entre tu voluntad, tu deseo y tu temor.

»Es el pozo donde ha caído la piedra y levanta el cieno, no ves el fondo. Permite que se decante, no mires el foso de las estacas, no mires el puente como algo que tengas que vencer.

»Míralo como algo que te eleva, al igual que la grulla cuando está lista para volar, no mira el abismo, observa la libertad del cielo infinito, cuando sea el momento de volar, volará.

- Maestro, es difícil dar el paso, son pensamientos ¿Si caigo y muero? ¿Qué tan grande es la agonía al ser mi cuerpo atravesado?

- ¿Eso piensas? Por un momento mira en tu interior ¿Qué percibes? Tus temores de morir, más no descubres, la fuerza del vivir al pasar el puente.

»La indecisión es un Jin Gui, el ser fantasmal que aparece frente a tu incierto futuro, se anida en tu mente mostrándote la adversidad y la desgracia, te hace evaluar los riegos, es un sabio escondido en la penumbra de tu alma.

»Te frena y limita, es la montaña que se nubla para que no la veas, son tus miedos proyectados que destruyen tu valor.

»Si no estás seguro de tu preparación, no lo hagas, espera el momento, aún las aves al borde del risco no se aventuran a desafiar el viento.

»La indecisión es sabiduría, cuando meditas en las consecuencias, el Jin te muestra tus miedos, si no lo vences, ellos te destruirán.

»Cuando esto ocurre, consideras que no estás preparado, no tienes seguridad, toma el tiempo que requieras para indagar en tu interior, práctica, conoce, pruébate, hasta que en tu interior; seas uno con lo que deseas.

»Los fracasos en la vida, se producen cuando te lanzas en pos de un deseo, cuando sin saber, tu ego te incita a enfrentar lo desconocido.

»Ven, vamos al foso, contemplarás el puente desde abajo, conocerás las estacas, pero, no toques los muertos, no interrumpas los sueños de quienes se aventuraron sin estar listos.

- Maestro ¿La indecisión es mala?

- No existe nada malo ni bueno, la indecisión te avisa que aún no es el momento para actuar, escúchala, no luches contra ella, contempla las opciones que tienes, emprende tu viaje cuando sientas que debes hacerlo.

Mientras le hablaba, descendieron al foso, la perspectiva cambia, el puente se ve acariciando el cielo, las puntas de las estacas desaparecen, de entre la nieve sobresalían los esqueletos, estaba aterrorizado.

- Ahora tienes otra visión diferente de tu meta, algo que debiste hacer antes, conocer los rincones, el tigre antes de cazar se funde con su territorio, conoce cada laberinto, aprende de sus errores.

»Contempla lo invisible, el viento que gira bajo el puente te hará perder el equilibrio, hoy, contempla lo que te hacía falta, mira la punta de las estacas.

»Lo que no ves al inicio, es lo primero que debes ver.

Kadaisha se machó, el aprendiz quedó contemplando otro universo, no imagino que fuera diferente, comenzó a recorrer cada parte, miraba los restos regados pensando en la vida de los monjes muertos, no podía intuir que hablaría con ellos.

Obedeció evitando tocarlos, el escalofrío de la muerte lo recorría, estando ahí, se sintió atraído a una estaca en especial, la veía vibrar, percibía su extraña energía, de alguna forma, era diferente a las demás.

Acostado sobre la nieve, pegó la cabeza contra la madera mirando la punta hacia el cielo, veía las nubes mover, el viento empujaba la nieve sobre el foso, de alguna manera, de nuevo entró en una profunda meditación.

Cuatro días y noches pasaron antes que el monje retornara de su visión. Nadie, Kadaisha era el único que sabía que estaba ahí. De vez en cuando visitaba el foso, permitiendo que su aprendiz siguiera descubriendo su poder.

✳ Día Diecisiete, Dieciocho, Diecinueve y Veinte El arcano del despertar Zhoamíng

Un día extraño, el maestro Li Lian Cheng, estaba con el aprendiz en el jardín de las piedras, un sitio en templo donde algunos monjes entrenan caminando sobre pequeños guijarros.

El maestro Li, es Shifu, maestro del Kung fu, Tai-Chi y artes marciales, posee una gran filosofía, existen muchas leyendas en torno a él, algunas dicen que fue el primer iluminado del templo, nadie sabe su edad y no hay una forma de intuirla, dicen que domina el Chi a voluntad, derriba a otro hombre a la distancia. Descubrió, otro sendero de la iluminación copiando el movimiento del viento, las nubes y los animales.

Lo estaba entrenando, enseñando a caminar sobre las piedras, mientras, ejecutaban los movimientos celestiales del Tai.

Es fluir con el viento, más allá de esto, es "Meditación en Movimiento" un arte, donde la mente se pierde al ritmo que el cuerpo danza.

No es en el templo donde se ejecuta, en la vida diaria, en la oficina, en la casa, en los diferentes trabajos se realiza el Tai.

Tomar aire, relajar mente y cuerpo, ser consciente de cada movimiento permitiendo que fluya. La concentración es estar en el mundo, pero aislarse del mundo.

Uno de los ejercicios cuando se ingresa al templo es barrer, un oficio humilde que al inicio se considera como desprecio o esclavitud.

El maestro Li, aprendió el Tai barriendo, decía que al hacerlo leía la vida de los que dejaban los desechos, movía la escoba con el viento del pensamiento, conoció los secretos de los monjes, descubrió que barrer permite el fluir del Chi tanto el de uno, como el del lugar que se barre.

Cuando la mente entra en conflicto, se debe buscar el Tai, moverse, la quietud ante un fracaso, una dificultad, la soledad, depresión, tristeza o melancolía.

Aumentan los estados de alteración y tensión, el Tai es el movimiento, no importa si no se conocen los katas, correr, nadar, bailar, hacer cualquier deporte, lo que implique movimiento es Tai, si se acompaña con meditación, se convierte en Tai-Chi. Meditar con el movimiento.

Los días siguientes, el monje se dedicó a caminar sobre las piedras, moviéndose como el maestro le indicaba, tan lento que parecía no moverse.

Un aprendizaje interior, la preparación.

Llego el día veintiuno, en el templo, se consideran los días del crecimiento de la luna desde el novilunio, siete días antes del plenilunio o la luna llena, cualquier acción que se ejecute con disciplina, durante los veintiún días lunares o veintitrés días solares, se convierte en un hábito.

Despertar durante este tiempo a la misma hora, hacer una actividad específica repetitiva, proponerse una tarea.

Es el tiempo necesario para adaptarse con lo nuevo, un trabajo, un cambio, un amor, veintiún días de luna, el tiempo en que las estaciones tardan en cambiar.

El aprendiz, que llegó desesperado por el aparente fracaso, estaba a punto de probar que; el fracaso no existe.

Igual que el éxito, tampoco existe, los dos, son un constante aprendizaje y experiencia para descubrir el infinito mundo de las alternativas y las opciones.

✳ Día Veintiuno
El arcano del comienzo
Kaishi

Nada sugería algún tipo de ritual o algo diferente, la nieve había cesado de caer, el cielo claro, sin nubes, un día como todos los días.

El maestro Li y Kadaisha estaban cerca del aprendiz, al otro lado del puente dos monjes esperaban, el maestro Li lo llevo al borde de los tablones, Kadaisha era un espectador.

- ¿Te sientes seguro, que esto es lo que hoy deseas hacer?

- No, maestro, pero esperaré lo inesperado, no puedo estar seguro de algo que no he realizado, siento que es el momento de hacerlo, no postergaré más esta cita, de no hacerlo hoy, nunca lo haré.

- En ti está el poder, has descubierto un despertar diferente, es el comienzo de otro horizonte en tu vida o el inicio de otra vida, de ti dependerá. Ve y descubre tu poder.

Los maestros se alejaron, dejándole el espacio, los tres monjes, uno al inicio, dos al final del puente.

La imagen resaltaba, el puente, el foso de estacas, los monjes, se reflejaba una profunda quietud.

Se quitó las sandalias, sus pies descalzos se posaron en la escalinata antes del primer tablón, el cual debería alcanzar estirando y subiendo la pierna.

Tendría que calcular el impulso perfecto, para no pasarse o perder el equilibrio y caer en el foso de las estacas.

La actividad con el maestro Li le permitió hacerlo como cuando salta un felino, tan fluido que parecía que flotaba.

Se quedó parado, quieto en el primer tablón, tal vez una hora, los monjes jalaban y soltaban las sogas, haciendo que el puente se moviera. Él sentía, percibía, el entorno, las diferentes e imperceptibles vibraciones.

Comenzó a moverse rítmicamente al impulso de los maderos, con la agilidad de los que viajan de árbol en árbol, atravesó el puente.

No existió felicitaciones, los monjes soltaron las sogas y se marcharon. Miró el foso de las estacas, miró el puente que sin la tensión de las sogas aún era más inestable y lo volvió a pasar, se quedó parado en el centro mirando hacia abajo.

Luego, con toda la serenidad, sin importarle los movimientos, descendió.

Se encontró con Kadaisha…

- ¿Venciste tus miedos, ¡Lo hiciste! ¿Ha sido un éxito en tu vida o un fracaso?

- Maestro; desde el día que llegué abatido por una vida de adversidades, estaba ciego, siempre pensé que estaba condenado a la desdicha, nada en mí existir, logré concluirlo.

»Gracias a tus enseñanzas he descubierto otro mundo, no fuera de mí, si no aquí adentro, en lo más profundo, no existe el fracaso si te aventuras a continuar superándolo.

»Comprendí de igual forma que el éxito tan anhelado, no es más que un aprendizaje pasajero.

»Los escalones del puente son solo pasos que dependiendo del entrenamiento se convierten en avance o decadencia. El primer día supuse que ese puente nunca se podría pasar, hoy, es diferente, mi mente se ha limpiado de las ataduras, he vencido mis murallas, el atravesarlo no es el éxito, es un paso más.

- Has logrado el despertar, eres tú quien entró dentro de ti, a ese lugar sagrado e íntimo de tu ser, nadie te acompañará.

»El fracaso y el éxito son dos estados del alma, para la tortuga amarilla dentro del confort del huevo es su vida, llega el día que lo debe abandonar, luchar por salir del profundo nido, enfrentar la adversidad de los depredadores, mientras llega al mar.

»Con todas sus fuerzas; fuerzas que nacen de su poder interior sobrevive, ella no considera ninguna adversidad como fracaso, ni el logro como éxito.

»No se victimiza o se llena de autocompasión, no destruye su yo interior renunciando, nunca renuncia, sabe que deberá prepararse para las peores tormentas o los días tranquilos, en el fondo de su esencia sabe que tiene el poder.

»En el templo no hay graduaciones, eso lo llevas en tu espíritu, espero que hayas encontrado alguna respuesta a lo que viniste a buscar, ahora eres libre de seguir tu sendero.

- Maestro, no, hasta ahora estoy comenzado ¿Debo irme del templo?

- No, si no lo deseas, si te quedas ¿Qué te nace hacer?

- Maestro, quiero atravesar el foso, caminar sobre las puntas de las estacas, el puente es un paso, el sendero es el foso.

Continuará…

Nota del autor

Las historias de Kadaisha el monje, son una serie de reflexiones sobre los temas del alma, cada una aporta un conocimiento, una meditación. Son secuencias sin orden de las diferentes situaciones que en ocasiones alteran la vida.

Cuando se pierde el sendero y se nubla la razón, estas meditaciones le permiten descubrir su fuerza interior. Cada historia es una parte del libro mágico de Kadaisha.

EL MAESTRO DE LAS ESTACAS

Enciclopedia Universo de la Magia

¿Desea aprender magia?

Ingrese a la escuela de la magia a través de nuestra enciclopedia en Ofiuco Wicca. El poder oculto de la mente, la influencia sin espacio ni tiempo. Un conocimiento guardado por milenios, ahora en sus manos.

www.editorialwicca.com

Made in the USA
Columbia, SC
24 July 2022